あるところに　ちいさな　むらが　ありました。
そこには　ちいさな　きょうかいが　ありました。

もりのせいかたいと
クリスマスのよろこび

きょうかいには　ふたつの　せいかたいが　ありました。
ひとつは　こどもたちの　せいかたい。
もうひとつは　シスターのみならい　ノビスが　おしえる
もりの　どうぶつたちの　せいかたいです。

あるひのこと　やまむこうの　むらから　てがみが　とどきました。

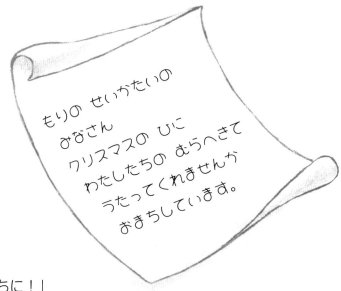

もりの　せいかたいの
みなさん
クリスマスの　ひに
わたしたちの　むらへきて
うたって　くれませんか
おまちしています。

「ぼくたちに！」
「ドキドキするね」
みんなは　おおよろこびでしたが　くまが　ぽつりと　いいました。
「いやだなあ　しらない　ひとたちでしょ」
きつねも　かおを　しかめて　いいました。
「にんげんは　やさしいひとばかりじゃないわ」
みんなの　しんぱいそうな　ようすを　みて　ノビスは　いいました。
「うたごえを　きけば　だいじょうぶよ。
この　むらの　ひとたちだって　そうだったじゃない」
みんなは　はじめて　うたった　よるの　ことを　おもいだしました。
また　くまが　いいました。
「そうだったね」「よーし　やるぞ！」
どうぶつたちに　えがおが　ひろがりました。

それから　まいにち　れんしゅうしました。

うさぎは　はじめは　ちいさな　こえしか　でませんでしたが
れんしゅうするうちに　すこしずつ　おおきな　こえが
でるように　なりました。

クリスマスは　もうすぐです。

クリスマスのひが　やってきました。
ノビスは　やまむこうの　むらの　いりぐちで
ずっと　まっていました。

「ぼくたちは　やまから　いくね。
おくれないように　ちゃんとつくよ」
きのう　そう　やくそくしたのに
どうぶつたちは　まだ　やってきません。
「どうしたのかしら」
あたりは　くらく　なりはじめました。
もうすぐ　ミサが　はじまる　じかんです。

その　すこし　まえの　ことでした。
「フフフ　ドキドキするね」
「いつもどおりだよ」
もりの　どうぶつたちは　ワクワクしながら
むらへ　むかっていたのでした。
ところが……

「あっ！」
だれかが　こえを　あげました。
きの　むこうに　たおれている　ひとが　います。
「おなかが　いたいのかなあ」
「どうしたんだろう」
みんなは　とても　きになりました。
しかし　だれかの
「いそごうよ　おくれちゃうよ。　やくそくしたじゃない」
というこえに　とおりすぎようと　したのですが……

「だいじょうぶですか？」
くまが　こえを　かけました。
おとこの　ひとは　びっくりして　たちあがり
「あっちへ　いけ！」と
こぶしを　にぎりしめています。

「ぼくたち　ちがうんです。
どうしたら　わかってもらえるのかなあ」

そのとき　ゆうきを　だして　うさぎが　まえに　すすみでたのです。
そして　はじめは　ちいさな　こえで
それから　すこしずつ　おおきな　こえで　うたいはじめました。
すると　おとこの　ひとと　おんなの　ひとの　かおが
えがおに　なりました。

おとこの　ひとは　いいました。
「もうすぐ　あかちゃんが　うまれるんです。
みちに　まよってしまって」
「ぼくたち　むらまで　いきます。
いっしょに　いきましょう」
みんなは　たすけあって　むらへと　いそぎました。

きょうかいでは　ミサが　はじまろうと　していました。
ノビスが　かなしそうに　きょうかいに　もどろうとしたとき
「ノビス！！」
「おくれて　ごめんね」
どうぶつたちが　かけよって　きました。
「みんな　みんな……」
ノビスの　めから　なみだが　こぼれました。

まにあったのです。
もりの　せいかたいの　うつくしい　うたごえが
きょうかいに　ひびきわたりました。

「すてきな　おくりものを　ありがとう」
むらの　ひとたちは　おおよろこびです。

もりのせいかたいが　うたいおわると
あかちゃんの　うぶごえが　きこえて　きました。
イエスさまも　こんなふうに　おうまれに　なったのかしら
ノビスは　おもいました。

もりに　むらに　せかいに
しあわせが　ひろがっていきますように。
みんなが　たすけあい
みんなが　やさしくなれる
あたたかい　せかいが　ひろがって　いきますように。

クリスマス　おめでとう！

もりのせいかたいとクリスマスのよろこび

え・ぶん――つるみ ゆき

発行所――サン パウロ

〒160-0011 東京都新宿区若葉 1-16-12
宣教推進部(版元) (03) 3359-0451
宣教企画編集部 (03) 3357-6498

印刷所――日本ハイコム㈱

2023 年 9 月 10 日 初版発行